UN DESEO

FRANCES WOLFE

Editorial Juventud

© Frances Wolfe, 2001
Edición original: ONE WHISH,
publicado por Tundra Books, Toronto, Canadá,
y por Tundra Books of Northern New York, Plattsburg, EE.UU.

© de la traducción española:
EDITORIAL JUVENTUD, S. A., 2003
Provença, 101 - 08029 Barcelona
info@editorialjuventud.es
www.editorialjuventud.es

Traducción: Arturo Castán y Teresa Farrán
Primera edición, 2004
Depósito legal: B. 14.861-2004
ISBN: 82-261-3380-0
Núm de edición de E. J.: 10.419
a.v.c. gràfiques, s.l., avda. Generalitat, 39 - Sant Joan Despí (Barcelona)
Printed in Spain

Queda rigurosamente prohibida, sin la autorización escrita
de los titulares del copyright, bajo las sanciones establecidas
por las leyes, la reproducción parcial o total de esta obra
por cualquier procedimiento, comprendidos la reprografía
y el tratamiento informático, y la distribución de ejemplares
mediante alquiler o préstamo públicos.

Para

Suzie y Jenny

Karin y Colleen

Kim

James

Emma y Taylor

Zachary y Noah

Es mi deseo que siempre tengáis el valor
para desear y la sabiduría para saber que,
si uno se esfuerza mucho, podrá hacer que
los sueños se conviertan en realidad.

Con cariño

Hace mucho
tiempo,
en una noche
de verano,
pedí un deseo
a la estrella
más brillante
de un cielo
centelleante.

◅◦▻ ◅◦▻ ◅◦▻ ◅◦▻ ◅◦▻ ◅◦▻ ◅◦▻

Pedí tener una
casa a la orilla
del mar.
Una casa junto
a un campo de
flores de delicado
perfume,
que se balancearían
y ondearían
al compás de una
melodía que solo
ellas podrían
escuchar.

Mi casa sería
amarilla y tendría
un porche soleado,
rodeado de
enredaderas con
flores rosas, donde
me sentaría con
un pequeño amigo
durante las tardes
perezosas.

En las mañanas
luminosas prepararía
desayunos elegantes
para un invitado
ronroneante que
tomaría la leche
en un plato
de porcelana.

Algunas veces,
llevaría un pequeño
barco a la orilla
para verlo deslizar
sobre las aguas
tranquilas y
transparentes,
el viento tensando
sus velas.

Buscaría en la playa plumas, conchas, piedras gastadas por el mar, tesoros delicadamente depositados en la arena por el manto de la marea al retirarse.

◄O► ◄O► ◄O► ◄O► ◄O► ◄O► ◄O►

Si el sol calentara
demasiado, me
quitaría la ropa
y me iría a dar
un baño.
Jugaría y
chapotearía en
el agua, y dejaría
que las azules
olas me pasaran
por encima.

Con un cubo y
una pala y mucha
arena mojada,
construiría un
pequeño castillo.
Después miraría
cómo mi castillo
era conquistado por
la marea al subir.

Si la fría niebla
apareciera
silenciosamente,
me sentaría sobre
un tronco y
escucharía el batir
de las olas al
estrellarse contra
las piedras,
removiéndolas
ruidosamente.

<0><0><0><0><0><0><0>

Si encontrara
una caracola, me
la llevaría al oído
para escuchar los
sonidos del mar,
atrapados en los
profundos recovecos
de su corazón
en espiral.

Cuando sintiera
hambre volvería
a mi casa y me
prepararía un festín
de almejas,
mejillones
y bogavante,
deliciosos regalos
del generoso mar.

Y, al terminar el día, me sentaría en mi porche a contemplar cómo la luna se iba alzando sobre el mar hasta alcanzar la estrella más brillante del cielo centelleante.

La misma estrella
a la que hace
muchos años,
le pedí un deseo.
Ya ves…

¡Los deseos
pueden hacerse
realidad!